Chattitudes

Édition originale
© Sayo Koizumi, 2012
Edited by MEDIA FACTORY
First published in Japan in 2012 by KADOKAWA CORPORATION, Tokyo.
French language translation rights granted to Larousse.
Under the license from KADOKAWA CORPORATION, Tokyo,
through le Bureau des Copyrights Français, Tokyo.

Édition française
Traduction et adaptation
Marcia Nishio

Direction de la publication
Isabelle Jeuge-Maynart et Ghislaine Stora

Direction éditoriale
Catherine Delprat

Édition
Sylvie Cattaneo-Naves

**Couverture, conception maquette
et mise en page**
Sophie Compagne

Fabrication
Laure Ferrandis

© Larousse 2015
ISBN : 978-2-03-587930-1

Chattitudes

Sayo Koizumi

LAROUSSE

CHÔJIRÔ   RAKU

AIMEZ-VOUS LES CHATS ?
JE SUPPOSE QUE OUI PUISQUE
VOUS TENEZ CET OUVRAGE ENTRE LES MAINS.

J'ai pour ma part une profonde affection pour les chats, et voilà près de vingt ans que je vis en leur compagnie. En me documentant pour rédiger cet ouvrage, je me suis pourtant aperçue qu'il y avait bien des choses que j'ignorais à leur sujet. C'est cette foule d'informations utiles et amusantes sur ces petits félins, sur leurs attitudes et leurs manies que je souhaite partager avec vous !

Que vous soyez encore peu familier des chats ou que vous en éleviez depuis longtemps, je serais heureuse que cet ouvrage contribue à enrichir vos relations avec ces merveilleux compagnons !

QUESTIONNAIRE

Évaluez votre amour des chats !

Si vous êtes tenté de cocher l'une des cases
ci-dessous, ne serait-ce qu'une seule,
c'est que vous aimez les chats ou bien que
vous les aimez à votre insu.
Dans cet ouvrage, je dévoile cent secrets sur
les chats pour vous aider à mieux
les comprendre !

☐ J'élève un chat. J'adore les chats.

☐ Quand je croise un chat dans la rue,
je m'en approche et ne peux m'empêcher
de miauler pour attirer son attention.

☐ J'aime les accessoires pour chats.

☐ J'aime bien qu'on me dise que je
ressemble à un chat.

☐ Quand je travaille ou que je range la
maison, regarder une image de chat
m'apaise.

☐ J'aimerais être un chat.

Patouni et patouna...

Et c'en est fait du beau pull !

Quand un chat « patoune »,
c'est qu'il se sent bien et en confiance.
Par exemple sur une couverture en laine, il adore !

Pattes en croix :

$$\frac{2}{100}$$

la plus craquante des poses !

QUE C'EST BON DE SE DORLOTER !

Quand un chat bâille,

$$\frac{3}{100}$$

son expression devient démoniaque !

IL EST SI MIGNON D'ORDINAIRE

KA...AHHH ! ...

TERRIFIANT, NON ?

Les chats n'aiment pas les voix graves.

$$\frac{4}{100}$$

De dos, c'est un paysage de collines.

$$\frac{5}{100}$$

Endormis, ils font penser

à des noix de cajou.

Noix
de cajou

De dos, le chat fait penser

à un *manju*, le petit gâteau

japonais légèrement

bombé fourré à la pâte

de haricot rouge.

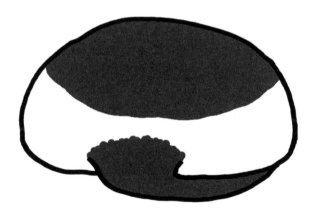

Menton relevé,

on dirait des *onigiri*,

ces boulettes de riz pressées

et façonnées en triangle.

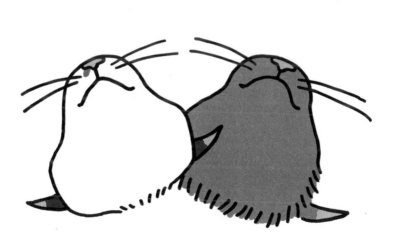

American
shorthair

American
curl

GRAND
RASSEMBLEMENT
DES CHATS DE TOUTES
LES RACES !

Bobtail
américain

American
wirehair

Oriental

Ocicat

Exotic
shorthair

Mau
égyptien

Cymric

Cornish
rex

Korat

Bobtail
japonais

Chartreux

Sibérien

Scottish
fold

Selkirk
rex

Somali

Turc
de Van

Tonkinois

Angora
turc

Sphynx

Devon
rex

Norvégien
[Chat des forêts norvégiennes]

Birman

Havana brown

Pixie-bob

Balinais

Himalayen

$$\frac{9}{100}$$

Il existe 42 races de chat dans le monde !

Bengal

Burmese

British shorthair

Ragdoll

Persan

Siamois

Munchkin

Bleu russe

Bombay

Ragamuffin

Abyssin

Singapura

Manx

Maine coon

BONJOUR !

NOUS SOMMES

LES CHATS DE LA FAMILLE

KOIZUMI. RAVIS DE VOUS

RENCONTRER !

JE SUIS LE GRAND FRÈRE, JE M'APPELLE CHÔJIRÔ.

JE SUIS LA PETITE SŒUR, JE M'APPELLE RAKU.

CHÔJIRÔ

RAKU

Chapitre 1

COMPRENDRE CE QUE RESSENTENT LES CHATS

RAVIS D'AVOIR TROUVÉ UNE CACHETTE,
ILS VÉRIFIENT QU'ELLE EST SÛRE !

Les chats adorent la nouveauté. Ils raffolent
des nouveaux jouets, bien sûr, mais les sacs
des courses font tout aussi bien l'affaire !
Quand les chats découvrent un nouveau sac,
ils ne manquent pas de s'y intéresser.
Ils se glissent à l'intérieur et se tortillent
pour en inspecter tous les recoins.
Les chats aiment se reposer dans les endroits exigus.
Du temps où ils vivaient à l'état sauvage,
ils cherchaient des cavités dans les troncs d'arbre
ou des trous au sol pour dormir ou se cacher.
Chaque fois qu'ils trouvaient une cachette
potentielle, ils en vérifiaient d'abord la sûreté.
C'est cet instinct de sécurité hérité
de leurs ancêtres sauvages qui les pousse
à fourrer la tête dans les sacs.
Une fois l'inspection terminée, c'est l'heure du jeu.
De loin, on entend les froissements du papier !
Transformé en jouet,
le sac ne tarde pas à finir en lambeaux.

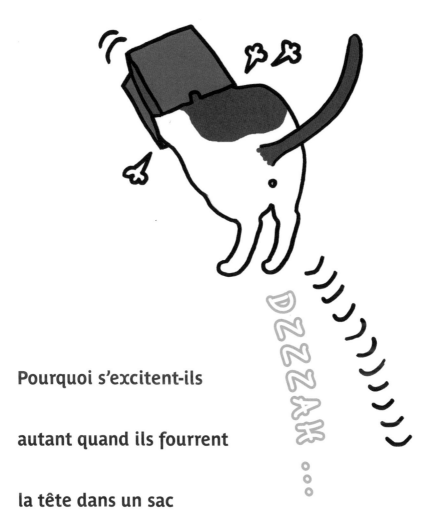

Pourquoi s'excitent-ils

autant quand ils fourrent

la tête dans un sac

en papier ?

Ils poussent de grands soupirs ?

Il n'y a pas de quoi s'alarmer !

 POURQUOI LES CHATS RONFLENT-ILS PARFOIS ?

Parfois mes chats me tournent le dos ou vont s'asseoir près de la fenêtre, puis poussent un gros soupir. Mon cœur se serre, je m'inquiète... Aurais-je contrarié mon chat ? Vient-il de glisser ? A-t-il mal quelque part ?
En fait, les soupirs des chats n'ont pas de signification particulière. C'est juste que leur respiration peut être bruyante à cause de l'étroitesse de leurs narines. Et puis, quand les chats sont captivés par ce qu'ils regardent – une scène au-delà de la fenêtre ou un objet –, ils en oublient de respirer. Voilà pourquoi ils ont ensuite besoin d'une grande bouffée d'air !
Dans le cas de mes chats, les soupirs de Raku sont empreints de mélancolie et d'une langueur toute féminine. Chôjirô, lui, lorsqu'il soupire, ne semble avoir en tête que sa pâtée !

Un voile de mélancolie flotte sur lui ?
En fait, il attend sa pâtée !

Pour manifester leur joie,
les chiens remuent frénétiquement la queue.
C'est si mignon !
Mais, si vous croyez qu'un chat
qui agite la queue vous fait la fête, détrompez-vous !
Lorsque les chats remuent la queue,
comme les chiens, ils expriment un sentiment,
mais pour savoir lequel, il faut observer plus
précisément la manière dont ils le font.
Quand leur queue fouette l'air en tous sens,
c'est qu'ils sont agacés ou en colère.
Dans ces moments-là, mieux vaut les laisser
tranquilles. Quand ils s'apprêtent à se battre, leur
queue s'agite nerveusement de droite et de gauche.
Quand elle s'agite rapidement dans un mouvement
de faible amplitude, c'est qu'ils n'arrivent
pas à se calmer, qu'ils sont inquiets. Quand ils sont
détendus, ils remuent la queue doucement,
dans un mouvement très ample.
Lorsque vous caressez un chat et qu'il se met
à agiter la queue, il vaut mieux vous méfier !
Un jour, j'ai pris un coup de patte d'un chat
appartenant à une personne que je connais, parce
que j'avais continué à le caresser sans prêter
attention à ses mouvements de queue...

Quand ils sont de mauvaise humeur, leur queue s'agite en tous sens.

Ce n'est pas le moment de s'approcher...

S'approcher pour renifler,

c'est leur façon de dire bonjour.

 LE BONJOUR DES CHATS

Quand vous croisez un chat
et que vous lui tendez votre index,
il vient le renifler. C'est sa manière de dire bonjour.
L'odorat des chats est beaucoup plus développé
que celui des humains.
Si une odeur leur déplaît, ils ne viennent pas
la flairer, ils évitent de s'approcher.
Quand ils viennent renifler pour dire bonjour,
c'est qu'ils se sentent en confiance. Cela fait plaisir !
Lorsque je leur tends mon doigt, mes chats viennent
le renifler et frottent aussi leur museau
pour y déposer leur odeur.
Quand vous vous promenez et qu'un chat, loin de
s'enfuir tout effarouché, s'approche pour renifler,
cela peut marquer le début d'une belle amitié.
Mais certains chats errants peuvent être agressifs.
En approchant la main, vous pouvez prendre
un coup de griffes. Il faut rester vigilant !

Les chats qui se laissent
facilement apprivoiser
viennent renifler vos
doigts pour dire bonjour.

Mais, quand on tend le doigt, il arrive aussi
qu'on prenne un coup de griffes…

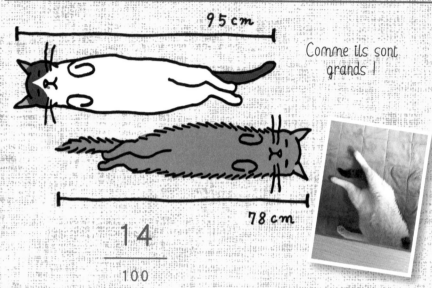

95 cm

Comme ils sont grands !

78 cm

$$\frac{14}{100}$$

Quand ils s'étirent, les chats sont trois fois plus longs que lorsqu'ils sont en boule !

Les chats sont d'une extrême souplesse. Ils peuvent prendre toutes sortes de poses. Quand il fait froid, ils se mettent en boule. Quand il fait chaud, ils s'étirent de tout leur long. J'ai effectué des mesures sur mes chats. Chôjirô est très grand : il fait près de 80 cm lorsqu'il se tient debout. Mesurez vos chats ! Vous ferez des découvertes amusantes !

Même lorsque la distance est relativement importante, ils s'élancent dans les airs et la franchissent sans peine.

32 cm

En hiver,
mes chats
dorment tout
recroquevillés
sur eux-mêmes.

ÉTUDE EXPÉRIMENTALE SUR LA CAPACITÉ D'ÉTIREMENT DES CHATS

Curieuse de connaître
la capacité réelle
d'étirement de mes chats,
je me suis livrée à une
petite étude !

28 cm

Ils s'étirent
et virevoltent
à leur guise !

Debout, Chôjirô
mesure environ 80 cm.

80 cm

65 cm

Nez contre truffe : bisou !

 LE BISOU : UN PEU PLUS INTIME QUE LE RENIFLAGE

Pour manifester leur affection,
deux chats qui s'entendent bien mettent leurs truffes
en contact. C'est un peu plus intime
que le reniflage dont j'ai parlé p. 26.
Mes chats ne sont pas avares de bisous de la truffe.
Chôjirô et Raku s'en font entre eux.
Ils en font aussi à leur tigre et à leur éléphant
en peluche. Et moi aussi, bien sûr, j'y ai droit !
Chôjirô, en revanche, ne fait pas de bisous à mon fils
qui va avoir quatre ans. Comme il est assez turbulent,
c'est le pire ennemi de Chôjirô.
Raku, elle, se montre plus compréhensive.
Si turbulent qu'il soit, elle lui fait quand même
des bisous. Les bisous des chats, on a tendance
à ne pas y faire attention, mais ils sont très
révélateurs de leurs sentiments.

Un bisou pour le tigre en peluche.

Un bisou
pour l'éléphant
en peluche.

Et moi aussi,
bien sûr, j'y ai
droit !

Les chats ont horreur des aspirateurs.

À la maison, dès que je sors l'aspirateur, Raku s'enfuit. Les chats apprécient les environnements tranquilles et détestent les gros bruits. Leur ouïe est beaucoup plus développée que celle des humains. Pour eux, le vrombissement du moteur de l'aspirateur est démultiplié. Voilà pourquoi ils ne supportent pas qu'on le passe dans la pièce où ils se trouvent.

Mais la force de l'habitude agit aussi sur eux ! Si on passe l'aspirateur tous les jours, il paraît que certains chats, progressivement, finissent par ne plus le craindre.

Contrairement à Raku qui s'enfuit aussitôt, Chôjirô n'en a jamais eu peur. Quand je le passe juste à côté de lui, il ne bronche pas. Même lorsque je m'enhardis à le taquiner en lui passant le balai de l'aspirateur sur la tête ou le ventre, il ne s'enfuit pas ! D'ordinaire, Chôjirô n'est pas d'une grande témérité, mais face à l'aspirateur, mystère, il se croit le plus fort !

LES CHATS DÉTESTENT LES GROS BRUITS

Chôjirô reste imperturbable :
même pas peur de l'aspirateur !
Je peux même poser la brosse sur sa tête...

Les chats adorent les cartons d'emballage !

ILS AIMENT AUSSI LES PACKS DE LAIT

Les chats adorent les cartons. Ils se sentent
en sécurité dans les endroits sombres et exigus.
Les chats sont aussi férus de nouveauté.
Lorsqu'ils trouvent un nouveau carton,
ils commencent par scruter l'intérieur, puis essaient
de s'y glisser. Une fois qu'ils s'y sont confortablement
installés, ils se disent qu'ils pourraient bien piquer
un petit somme... Et ils s'endorment.
À la maison, pendant un certain temps, il y avait
deux cartons, un grand et un petit. L'un était un
carton de conditionnement de champignons
Buna-shimeji et l'autre un carton d'emballage d'une
commande par correspondance. Tous deux avaient
exactement la taille de Chôjirô et de Raku.
Ils semblaient leur avoir plu, car mes chats avaient
pris l'habitude d'y dormir. Pendant longtemps,
je n'ai pas pu me débarrasser de ces cartons !
Un jour, Chôjirô a fourré la tête dans une brique
de lait en voulant pénétrer dedans, mais pauvre
de lui, sa tête est restée coincée !

Le carton était pile-poil à la taille de Chôjirô !

C'est ainsi que j'ai découvert
que sa corpulence correspondait à 20 bouquets
de champignons Buna-shimeji !

Les chats adorent les journaux...

 MAIS ILS AIMENT AUSSI DORMIR SUR LES ORDINATEURS

Quand on déplie un journal sur la table ou au sol et qu'on s'apprête à le lire, le chat arrive et s'étale dessus. C'est la même chose quand on s'installe pour travailler sur un ordinateur : il arrive et hop, il s'allonge tout content sur le clavier !! Lorsque les chats sentent qu'on va les délaisser pour se plonger dans une activité, ils s'imposent tranquillement pour qu'on s'occupe d'eux. Juste à l'instant, comme je m'apprêtais à travailler, je suis allée me servir une tasse de café et, à mon retour, je me suis aperçue que Raku s'était allongée sur mon ordinateur portable. Je l'ai écartée pour en ouvrir le capot. J'allais me mettre au travail quand, jetant un œil à côté, j'ai constaté que Chôjirô s'était allongé sur les livres que j'avais ouverts. Ah, ces chats ! Ils sont si enjôleurs lorsqu'ils veulent qu'on les câline ! Aujourd'hui aussi, j'ai dû résister à la tentation de jouer avec eux pour pouvoir avancer dans mon travail.

VIENS ME CAJOLER !!!

QUELQUES CONSEILS POUR PRENDRE DE BELLES PHOTOS DE CHATS !

Sakura a confectionné un jouet en accrochant un ruban vinyle scintillant à l'extrémité d'une baguette. Quand elle la secoue, le ruban scintille et froufroute !

L'appareil fétiche de Sakura : un Pentax K-30

$\dfrac{19}{100}$

Points importants pour prendre de belles photos de chats :

① **Habituer votre chat à l'objectif de l'appareil.** Certains appareils font peur aux chats... Ils finissent cependant par s'y habituer si on laisse l'appareil posé près d'eux. Laisser celui-ci hors de sa housse est aussi un bon moyen de l'avoir toujours à portée de main, de ne laisser échapper aucune occasion de prendre une belle photo.

② **Ne pas poursuivre votre chat** Si le chat ne veut pas coopérer, s'il cherche à s'enfuir, ce n'est pas la peine de le harceler. On ne peut pas prendre de belles photos dans ces conditions !

③ **Prendre le temps de jouer chaque jour avec votre chat** Les chats sont des animaux qui ont tendance à se lasser assez rapidement. Il faut toujours leur trouver de nouveaux jouets. Quand ces derniers ne sont pas utilisés, il vaut mieux les ranger pour que les chats aient plaisir à les redécouvrir plus tard. Si vous prenez au quotidien le temps de jouer avec votre chat, il devient plus expressif avec vous, et les photos n'en sont que plus belles.

Quelques astuces pour prendre de meilleures photos !

Si le chat regarde vers le haut, il a l'air d'esquisser un sourire.

Quand la robe du chat est sombre, on crée un contraste avec un élément blanc.

Photographie originale de tobineko chat en vol par Sakura Ishihara !

Avec un reflet de lumière dans ses yeux, c'est joli.

Il faut toujours faire ressortir la robe du chat avec un arrière-plan en contraste.

Le café Nyafé Mélangé se trouve dans le quartier d'Ebisu, à Tokyo. Je m'y suis rendue pour apprendre à photographier les chats avec Sakura Ishihara, une photographe professionnelle spécialisée dans les photos de chats. Avec elle, on peut même s'initier à la technique des clichés de *tobineko* : des chats volant dans les airs à la poursuite d'un jouet. Sakura se place toujours à la hauteur des yeux des chats, on peut mieux les approcher. C'est vrai aussi quand on prend des photos en extérieur. Tant pis si on a l'air ridicule, il vaut mieux s'accroupir ou s'agenouiller, après tout, le plus important est d'établir une bonne relation avec son modèle.

$$\frac{20}{100}$$

IL PARAÎT
QUE LE SYMBOLE
DU POINT
D'INTERROGATION
A ÉTÉ INSPIRÉ
PAR LA FORME
DE LA QUEUE
DU CHAT LEVÉE
AU-DESSUS
DE SON ANUS !

Chapitre 2

PETIT BRIC-À-BRAC DE CONNAISSANCES SUR LES CHATS

Un chat qui ronronne produit

26 vibrations par seconde.

 IL S'ENTEND À 3 MÈTRES À LA RONDE...

On est en train de travailler ou de faire le ménage. On lance distraitement un regard vers le fond de la pièce, et on aperçoit alors le chat, allongé bien confortablement sur le tapis. Dans ces moments-là, on l'entend parfois émettre des « ronrons ».
Un chat ronronne quand il se sent bien.
Le son produit a des fréquences se situant entre 26 et 44 Hz. Le ronronnement d'un chat, c'est comme un moteur diesel qui tourne au ralenti. Dans les deux cas, on compte environ 26 vibrations sonores par seconde !
En général, un chat ronronne quand il se sent détendu, quand il se fait cajoler par une personne qu'il aime. Mais certains ronronnent quand ils se sont blessés ou qu'ils ne se sentent pas en forme. On pense que les basses fréquences du ronronnement auraient des vertus curatives apaisantes et bienfaisantes. C'est une production sonore bien moins anodine qu'il n'y paraît !

Les chats de la maison ?

Ce sont des « félins domestiques », pardi !

 UNE LONGUE COMPLICITÉ AVEC L'HOMME

Pendant longtemps, on a cru que la domestication
des chats remontait à 4 500 ans.
En Égypte, des chats sauvages *(Felis silvestris lybica)*
avaient été domestiqués afin de protéger
les récoltes de céréales des rongeurs.
En 2004, on a cependant trouvé dans l'île
méditerranéenne de Chypre une sépulture datant
de 9 500 ans qui renfermait des ossements humains
mêlés à ceux d'un chat. Ce dernier était de l'espèce
Felis silvestris lybica. C'est la preuve qu'un lien très
fort unit les hommes et les chats depuis la nuit des
temps. Au départ, ces derniers ont sans doute été
domestiqués pour chasser les souris,
mais les chats sont les chats !
Je suis certaine qu'ils avaient su conquérir le cœur
de nos lointains ancêtres, qui devaient les trouver
très mignons et y être très attachés.

Normalement, les
félins sont sveltes.
Ils n'ont pas de
ventre.

Mais Chôjirô, lui,
a un petit bidon...

« Miaou.» Mes chats dorment au premier étage
de la maison. Quand ils descendent, en général,
cela signifie : « J'ai un petit creux !
Donne-moi quelque chose à manger ! »
Mes chats ont la belle vie. Ils dorment la plupart
du temps et ne se réveillent que pour manger.
En japonais, chat se dit neko.
L'étymologie est la suivante : *nemuru ko* (« dormir »
et « enfant ») a donné *neko*.
Les chats dorment effectivement beaucoup,
plus de quinze heures par jour ! Ils passent près
des deux tiers de leur vie à dormir !
Quand ils vivaient à l'état sauvage, ils devaient
chasser pour se nourrir, et afin de refaire le plein
d'énergie, ils dormaient le reste du temps.
Les chats ne dorment toutefois d'un sommeil
profond que trois heures par jour.
En fait, ils somnolent et sont prêts à se réveiller
au moindre danger.
Mes chats, eux, n'ont pas besoin de chasser
pour se nourrir, et inutile de dire qu'à la maison
ils ne sont exposés à aucun danger...
Lorsqu'ils ont faim, ils se contentent
de me pourchasser pour réclamer leur pâtée !

Les chats dorment quatorze à vingt heures par jour !

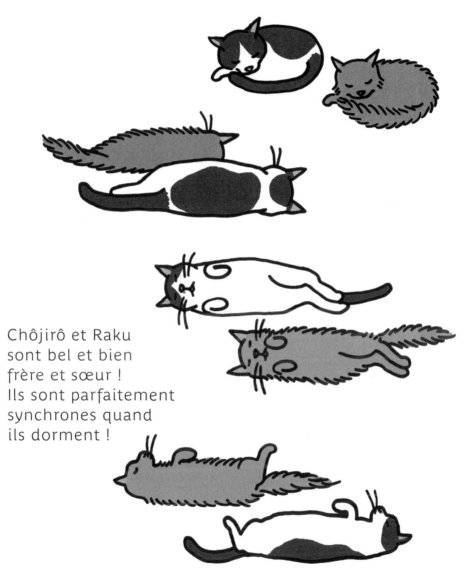

Chôjirô et Raku
sont bel et bien
frère et sœur !
Ils sont parfaitement
synchrones quand
ils dorment !

Certains aiment autant les chats que les chiens.
Il y en a aussi, j'imagine, qui, à l'opposé,
les perçoivent comme rivaux. Mais, si on remonte
à l'origine des deux familles, on se rend compte que
les félins et les canidés descendent tous d'un petit
mammifère préhistorique appelé *Miacis*, qui vivait
il y a 40 millions d'années. Le *Miacis* est l'ancêtre
des canidés, des ursidés et des félins.
Je dois reconnaître que mon Chôjirô tient vraiment
du chien dans son tempérament, dans sa manière de
manger... La fidélité qu'il me voue n'a rien
à voir avec l'indépendance du chat.
Mes amis me font souvent la remarque :
« Ton Chôjirô doit avoir du sang de chien
dans les veines. » Finalement, cela se tient, puisque
ces animaux sont du même lignage. La prochaine
fois, je pourrai répondre : « Évidemment, à l'origine,
ils sont de la même famille ! »

Chôjirô tient vraiment du chien !

Les mâles calico, c'est-à-dire

$$\frac{25}{100}$$

« à robe tricolore », sont extrêmement rares !

 CHÔJIRÔ : CALICO ?

Mon Chôjirô a un pelage noir et blanc sur tout
le corps, mais si on regarde bien, on se rend compte
qu'à côté du museau, il a une petite tache brune.
Cela signifie peut-être qu'il fait partie
des mâles calico ?
Si la question me passionne autant, c'est que
les chats mâles calico sont rares. Pour que la robe
d'un chat soit tricolore, il faut les chromosomes XX
(qui sont ceux des femelles). Mais il arrive qu'en
raison d'une anomalie génétique, des chats mâles
naissent avec les chromosomes XXY. Cela donne
des mâles calico. Beaucoup de mes amis sont des
amoureux des chats. Parmi eux, je connais une seule
personne ayant déjà vu un mâle calico.
Ah ! J'aimerais bien que mon Chôjirô
soit l'un de ces rares mâles calico !

Mon Chôjirô est-il un de ces
rares mâles calico ? De toute
façon, pour moi, il est unique.

QUIZ CHAT !

Question : comment appelle-t-on un chat dont l'œil droit et l'œil gauche ne sont pas de la même couleur ?

Question : comment appelle-t-on la zone autour de la truffe ?

Réponse : un chat aux yeux vairons

Réponse : le museau

26

100

Les yeux vairons ont les iris qui ne sont pas de la même couleur. L'un est bleu, l'autre brun, jaune, ou vert. Les chats aux yeux vairons sont assez nombreux chez les chats à robe blanche. On en trouve assez souvent aussi parmi les chats des espèces Turc de Van, Turc angora, et Bobtail japonais. Au Japon, pour « vairon », on dit *kin-moku gin-moku*, à savoir « œil or, œil argent » et c'est un signe de bon augure !

27

100

Le museau désigne la zone autour de la truffe et englobe la partie bombée qui porte les vibrisses (poils des moustaches). Ceux qui trouvent le museau des chats mignon aiment aussi en général les coussinets de leurs pattes. Lorsque les chats regardent en l'air, on distingue bien le charmant arrondi de leur museau. Celui-ci s'enfle quand ils chassent. Regardez bien leur museau lorsque vous les taquinez avec un plumeau pour chat. Vous verrez comme c'est adorable !

TEST DE VOCABULAIRE

Question : savez-vous comment on appelle cette pose au Japon ?

Question : comment s'appelle cet accessoire bleu ?

Réponse : la collerette

Réponse : la boîte à encens

28
___
100

Lorsque le chat se met en boule, tête enfoncée dans le cou, pattes avant fléchies vers l'intérieur et la queue enroulée autour du corps, on dit au Japon qu'il fait la « boîte à encens ». Car sa silhouette ressemble en effet à une boîte en laque dans laquelle on range les ustensiles utilisés pour le *kôdô* (voie de l'encens) ou le *sadô* (voie du thé).
Le chat prend cette position lorsque la température est agréable et qu'il se sent détendu.

29
___
100

Quand un chat vient d'être opéré, on lui met une collerette autour du cou pour qu'il ne lèche pas sa cicatrice, qu'il ne tire pas sur les fils chirurgicaux. Au Japon, cette collerette est appelée « collerette Élisabeth ». Lorsqu'on met une collerette à un chat, il ne tient pas en place. Il marche en se cognant partout. Ce spectacle serre le cœur, mais il est en même temps d'un comique irrésistible !

LES CHATS NE TRANSPIRENT
QUE PAR LES COUSSINETS!

Les coussinets des pattes sont l'une
des parties les plus charmantes du chat.
Quand on commence à en parler, c'est sans fin.
Comme le montre l'illustration, sur les pattes avant,
le chat possède des coussinets, également appelés
« pelotes » : il y a cinq pelotes digitales et une pelote
plantaire trilobée. Plus haut, près de l'articulation du
carpe, qui correspond au poignet chez l'homme,
il y a une pelote appelée « pelote proximale ».
Sur les pattes arrière, il y a une pelote plantaire
et quatre pelotes digitales.
Les pelotes sont dotées de glandes sudoripares.
Les chats ne transpirent que par les pattes !
À la maison, j'aime caresser les coussinets du doigt,
ou bien glisser celui-ci entre les coussinets. Comme
c'est agréable ! Quand j'ai une migraine ou les yeux
fatigués, je passe la patte du chat sur mon front ou
sur mes paupières. Cela apaise instantanément la
douleur. Vous êtes libres de me croire ou non !

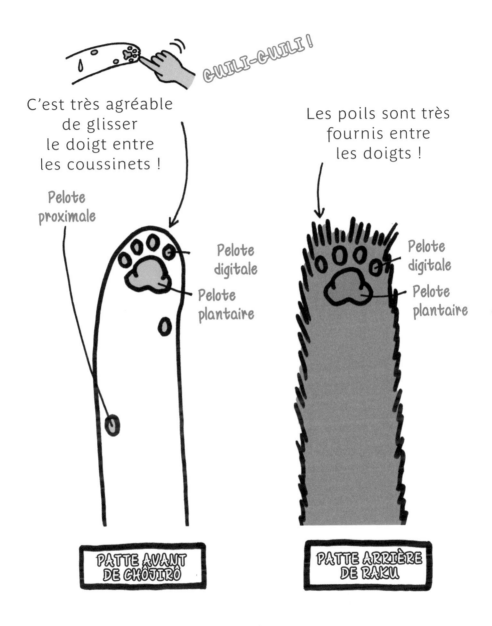

GUILI-GUILI !

C'est très agréable
de glisser
le doigt entre
les coussinets !

Les poils sont très
fournis entre
les doigts !

Pelote
proximale

Pelote
digitale

Pelote
plantaire

Pelote
digitale

Pelote
plantaire

PATTE AVANT
DE CHÔJIRÔ

PATTE ARRIÈRE
DE RAKU

Il n'existe pas de chat à robe blanche

sur le dos et noire sur le ventre.

 HISTOIRES DE GÈNES

Les chats ont des pelages très variés.
C'est aussi ce qui fait leur charme.
« Sous la truffe, mon chat a une tache qui donne l'impression qu'il a le nez qui goutte », « Mon chat semble porter des chaussettes », « Mon chat porte des mitaines », « Mon chat porte une moustache »...
Tous ceux qui ont des chats sont fiers des particularités de leur pelage et ne se lassent pas d'en parler. Pourquoi le cacherais-je ? Moi aussi, je suis très fière de la « goutte au nez » de mon Chôjirô !
Soit dit en passant, il paraît qu'il n'existe pas de chat à robe blanche sur le dos et noire sur le ventre. Pour ma part, je n'en ai jamais vu. Il semble que la raison soit d'ordre génétique. Le gène blanc donne des cellules dénuées de pigments. Dans le processus de développement de l'œuf fécondé, ces dernières se multiplient à partir de la zone du ventre. Voilà donc le secret du moelleux pelage tout blanc qui recouvre le ventre de certains chats !

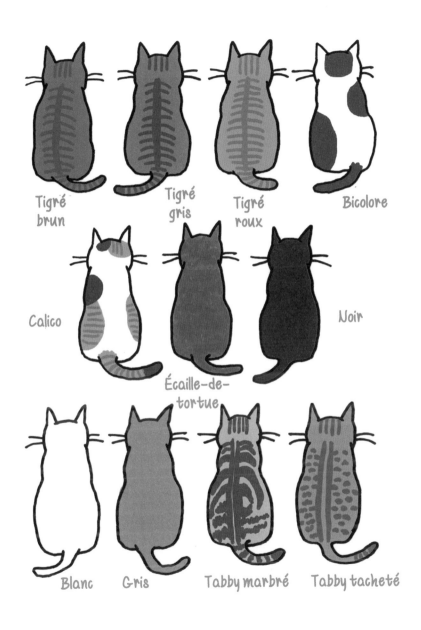

Tigré brun

Tigré gris

Tigré roux

Bicolore

Calico

Écaille-de-tortue

Noir

Blanc

Gris

Tabby marbré

Tabby tacheté

Les poils poussent en toutes

sortes d'endroits.

3 2

1 0 0

AU-DESSUS DES YEUX, ET MÊME
SUR LE MENTON ET LES PATTES AVANT !

Quand on parle des moustaches du chat,
on désigne les longs poils qui poussent
de chaque côté du museau. Ces longs poils,
dont le nom savant est « vibrisses », poussent
également au-dessus des yeux, sur les parties
latérales du front et sur le menton.
On les trouve aussi ailleurs que sur le visage,
sur les pattes avant, au niveau des articulations.
Les vibrisses sont des organes sensoriels
d'une grande acuité qui détectent la moindre
vibration de l'air. Elles perçoivent des ondes
inaudibles à l'oreille humaine ainsi
que les plus petites variations d'humidité.
À droite, mon illustration représente un chat avec
toutes ses vibrisses. Les dessiner est non seulement
fastidieux, mais inesthétique, alors pour mes autres
illustrations, je me permettrai de simplifier !

Les chats ont des vibrisses un peu partout !

Mais les
représenter dans
leur intégralité,
que c'est long !

LES CHATS SONT NYCTALOPES.

100

L'obscurité ne gêne pas du tout les chats : leurs yeux sont dotés de cellules réceptrices de lumière appelées « cellules en bâtonnets », trois fois plus nombreuses que celles que comptent des yeux humains ! Dans le fond de l'œil des chats se trouve également une couche réfléchissante appelée *tapetum lucidum* (« tapis clair ») qui accroît de 40 % la quantité de lumière captée par la rétine.
Dans la pénombre, la vision des chats est trois à huit fois supérieure à celle des humains.
Dans une chambre obscure, quand vous voyez briller les yeux des chats, vous pouvez être sûr qu'eux vous distinguent parfaitement !
Les chats souffrent cependant de myopie. Ils voient nettement des objets situés à 15 centimètres, mais leur cristallin a une capacité d'accommodation inférieure à celui des humains.
Dans le cas des humains, c'est la variation de l'épaisseur du cristallin qui permet d'ajuster la focalisation des rayons lumineux. Dans le cas des chats, l'accommodation s'opère par un déplacement du cristallin vers l'avant ou vers l'arrière. C'est ce qui explique leur tendance à la myopie. Les chats possèdent en revanche une vision cinétique très performante. Ils détectent très bien les mouvements, ce qui fait d'eux d'excellents chasseurs...

Les chats ont la faculté
de voir dans la pénombre,
mais ils sont myopes !

Les chats
aux yeux
phosphorescents
dans la pénombre,
je les appelle
« chats de
l'espace » !

Mon Chôjirô pèse un peu plus de 8 kilos.
Raku, elle, fait 3,9 kilos. La différence de poids
est du simple au double ! Comme il est plus gros,
Chôjirô est plus pataud.
Aux grands espaces qu'ils peuvent parcourir en
courant, les chats préfèrent les environnements leur
permettant de tirer parti de leur légèreté et de leur
agilité pour se déplacer de haut en bas et de bas en
haut. Pour créer un environnement à leur goût, il est
bon de placer côte à côte des meubles à plusieurs
niveaux, de disposer des tabourets à proximité des
meubles hauts. Si vous vivez dans un appartement
peu spacieux, il vous suffit de mettre des meubles
de différentes hauteurs et les chats
ne souffriront pas d'un manque d'exercice.
À la maison, Chôjirô est incapable de grimper tout en
haut de la bibliothèque, alors que Raku, elle,
y parvient facilement. J'avais pourtant fait exprès de
choisir une grande bibliothèque avec un niveau plus
bas pour lui ! C'est bien dommage ! Chôjirô
ne grimpe pas plus haut que les chaises, la table
de la salle à manger et l'évier de la cuisine.

Les chats n'ont pas besoin de grands espaces.

Ce qui leur importe, c'est de pouvoir se déplacer

de haut en bas et de bas en haut !

Ma bibliothèque:
Raku grimpe
tout en haut
sans la moindre
difficulté, tandis
que le gros
Chôjirô n'y arrive
pas du tout.

Près de la fenêtre, il y a plein de paniers !
Les chats se prélassent à la place de leur choix !

Nono-chan se
fait dorloter sur
les genoux de
Keiko.

3 5
100

Partout dans la maison, on voit des
chats allongés, savourant un moment
de détente. Quel bonheur !

*Élever plusieurs
chats ensemble, c'est
goûter au bonheur
de partager son
temps entre plusieurs
animaux aux
tempéraments très
différents.*

Un jour, au début de l'été, j'ai rendu visite
à mon amie illustratrice, Keiko Aoyama.
Elle élève plusieurs chats ensemble
et je souhaitais l'interroger sur cette
expérience.
À mon arrivée, j'ai eu la surprise de voir
Mon-chan venir à ma rencontre. Jusqu'ici,
il m'ignorait ! Puis j'ai découvert Nono-
chan qui somnolait sur le sofa et, dans le
panier près de la fenêtre, nichait Taro-
chan. J'étais ravie de les voir. Je me suis
assise à côté de Nono-chan. La belle Hana-
chan et l'élégant Dylan ont alors fait leur
apparition. Le timide Mon-chan est aussi
venu nous rejoindre. La famille-chat était
au grand complet.

Le timide
Mon-chan

La belle
Hana-
chan

Le calme
Nono-chan

Keiko Aoyama

L'indépendant Taro-chan

Le grand-
frère
protecteur,
Dylan

Dylan, Mon-chan et Hana-chan sont de la même fratrie. Une chatte du voisinage avait eu une portée de sept chatons. Quatre ont été donnés, et Keiko a gardé la mère et les trois chatons restants. Mon amie a alors décidé de quitter son appartement pour vivre dans une maison. Après le déménagement, un chat blanc appelé Kiki-chan est arrivé. Puis le timide Nono-chan. C'est le mari de Keiko qui a recueilli ce dernier alors qu'il était tétanisé de peur en plein milieu d'une route nationale... À son arrivée, c'était encore un tout petit chaton. Taro-chan a été recueilli après avoir été trouvé dans le voisinage collé à une plaque adhésive de piège à souris. Keiko dit que Dylan a été le premier à accepter les trois nouveaux

venus, qu'il s'est comporté envers eux en véritable grand frère. « Sans lui, il aurait sans doute été difficile de faire régner l'harmonie entre tous ces chats », affirme-t-elle. La vieille chatte – mère de la fratrie Dylan, Mon-chan et Hana-chan – ainsi que Kiki sont décédés, et voilà, il reste maintenant cinq chats, tous aussi mignons les uns que les autres.
Quand on élève plusieurs chats, où qu'on regarde dans la maison, il y en a toujours un dans les parages. Leur entretien donne du travail, mais le bonheur qu'ils apportent compense largement ces inconvénients.

36

100

COUP DE CŒUR!

L'ABRI EN CARTON CONÇU
PAR LE TRANSPORTEUR
KURONEKO-YAMATO A FAIT
L'UNANIMITÉ PARMI LES
AMOUREUX DES CHATS!

Chapitre 3

DE NOUVEAUX JEUX
AVEC LES CHATS

Massage rigolo...

$$\frac{37}{100}$$

 ANCÊTRE OU EXTRATERRESTRE ?

La plupart des gens jouent avec leur chat
en utilisant un plumeau à chat ou un objet
accroché à une ficelle. Mais c'est lassant
de toujours se servir d'un objet.
Pour changer un peu, que diriez-vous
de jouer avec la tête du chat ?
Bien sûr, il est plus prudent de le faire
avec un animal qu'on connaît bien,
mais vraiment, je le recommande !
Pour commencer, placez-vous face à votre chat et
malaxez bien sa tête en exerçant de petites pressions.
Une fois que lui et vous êtes bien relaxés, des deux
mains, tirez légèrement sa tête vers l'avant. Il se
retrouve alors avec le visage tout plissé d'un papi !
Après cela, étirez bien son visage vers l'arrière.
Il ressemble alors à celui d'un extraterrestre !
À la maison, ce n'est pas la toute tranquille Raku,
mais le placide Chôjirô qui accepte
de se prêter à ce jeu.

Poser les mains autour du visage du chat, puis exercer de petites pressions en tirant légèrement vers l'avant.

Ramener ensuite les mains vers l'arrière en étirant doucement le visage du chat.

Observer les pupilles du chat.

ALLUMER ET ÉTEINDRE UNE LAMPE DE POCHE

Les pupilles des chats changent d'aspect
en fonction de la quantité de lumière reçue.
Je me suis donc amusée à observer
ces changements.
Dans une pièce obscure, pointez une lampe
de poche vers le chat. Ses pupilles se rétractent
aussitôt. Éteignez ensuite la lampe,
et les pupilles se dilatent. Répétez ces opérations
tout en observant les pupilles du chat.
Bien sûr, si on insiste trop longtemps,
le chat finit par être agacé et s'enfuit.
Votre chat n'est ni un animal de laboratoire
ni un jouet, et il sait vous le faire comprendre.
C'est une expérience que je pratique avec Chôjirô
lorsqu'il est détendu et à moitié endormi.
La fière Raku n'aime pas ce jeu. À vrai dire, Chôjirô
n'aime pas non plus être dérangé dans son sommeil.
J'ai bien sûr pitié de lui, mais il est trop mignon
quand il fait la moue. Pardon, Chôjirô !

① Allumer la lampe.
Il se met aux aguets.

② Éteindre la lampe.
Il se détend.

③ Allumer à nouveau.
Il se remet aux aguets.

Profiter qu'un chat bâille pour glisser

doucement un doigt dans sa gueule.

$$\frac{39}{100}$$

LES CHATS FERMENT LES YEUX
QUAND ILS BÂILLENT

Comme je l'écrivais p. 46, les chats dorment
beaucoup. Certains d'entre eux somnolent toute
la journée. Ceux-là bâillent beaucoup.
Lorsque je regarde un chat bâiller, à la vue de
ses jolis crocs de félin, je suis prise d'une envie
irrépressible : celle de glisser mon doigt dans
sa gueule pour qu'il le mordille.
C'est ce jeu-là que je vous suggère.
Le moment idéal, c'est quand votre chat est bien
détendu et qu'il somnole à côté de vous. À l'instant
où il ouvre la gueule pour bâiller, insérez votre doigt.
Comme il ferme les yeux lorsqu'il bâille,
il ne voit rien venir. Et quand il finit de bâiller, ses
crocs retombent sur votre doigt. Le chat, un peu
surpris, fait une mine amusante. Il a presque l'air
de s'excuser : « Ah ? Je ne l'ai pas fait exprès... »
C'est trop mignon.

Quand mon chat bâille...

... je ne peux
m'empêcher de glisser
mon doigt dans
sa gueule !

Tendre la main lorsque le chat

$\frac{40}{100}$

fait sa toilette.

 LA SENSATION DE RUDESSE DE SA LANGUE TOUTE
RÂPEUSE EST ÉTRANGEMENT AGRÉABLE

Les chats sentent toujours bon (enfin, c'est mon
avis !). Même s'ils ne prennent jamais de bain,
ils aiment la propreté et font quotidiennement leur
toilette pour être impeccables en toute circonstance.
Voilà pourquoi ils sentent toujours si bon.
C'est grâce à leur langue que les chats réussissent
si bien leur toilette. Elle est tapissée de petites
excroissances qui la rendent râpeuse.
En léchant leur pelage, ils le débarrassent
des impuretés (dont les poils). Ces mêmes
excroissances, faisant office de minuscules louches,
leur permettent aussi de laper des liquides.
Lorsque mes chats font leur toilette, je ne peux
m'empêcher d'approcher ma main pour qu'ils
la lèchent. J'aime beaucoup cette sensation rugueuse.
En faisant leur toilette, les chats avalent les poils
morts. Pour les aider à régurgiter les paquets
que ceux-ci forment dans leur estomac
une fois qu'ils les ont ingérés, il est bon de leur
donner de l'herbe à chat.

Lorsque le chat fait sa toilette et qu'on approche la main, de sa langue râpeuse...

C'est grâce à ces petites excroissances en forme de crochets qu'il fait sa toilette.

... il nous lèche aussi les doigts. La sensation est si agréable !

Jouer avec les pattes arrière du chat

$\frac{41}{100}$

comme s'il s'agissait de manettes de pilotage...

PRESSER LES PATTES ARRIÈRE
POUR LANCER UN MISSILE !

Sur les pattes arrière du chat, le talon se trouve à peu près à mi-hauteur. En fait, les chats se tiennent toujours sur les orteils. Beaucoup de gens trouvent charmante la partie toute plate qui va du bout de la patte au talon. Elle est très agréable à caresser.
On peut aussi la manipuler pour s'amuser.
Il faut d'abord guetter le moment où le chat se couche pattes en l'air, parfaitement détendu.
On saisit chacune des pattes arrière dans une main. Point important : on presse les pelotes plantaires avec le pouce. Voilà, c'est comme si on avait en main des manettes de pilotage. On les oriente comme on veut vers la droite, vers la gauche, vers le haut, vers le bas, et on presse sur les pelotes comme sur un bouton de lancement de missiles ! Lorsqu'on presse la partie supérieure des pelotes, cela fait sortir les griffes. On se croirait vraiment en train de piloter !
Et si votre chat vous trouve ridicule,
il n'a pas vraiment tort...

Lorsqu'on presse les pelotes plantaires,
les griffes sortent !

La liane Matatabi les rend fous !

42
___
100

RIEN QU'UN PETIT CHOUÏA...

L'IVRESSE GAGNE-T-ELLE PLUTÔT LES MÂLES QUE LES FEMELLES ?

La liane Matatabi *(Actinidia polygama)* est une liane japonaise très proche du kiwi, connue pour son effet euphorisant sur les chats. Les miens adorent cette plante ! On la trouve en poudre ou en bâtonnets, mais certaines boutiques vendent aussi des coussins ou des balles en Matatabi. Il suffit de choisir la forme qui leur plaît le plus.
À la maison, Chôjirô profite des bâtonnets de Matatabi de toutes les manières possibles, comme vous pouvez le voir dans les illustrations de la page de droite. Captivé par le bâtonnet, il oublie tout. Raku, quant à elle, fait preuve de modération. Je ne sais pas si cette différence de comportement tient à leur tempérament ou à leur sexe...
D'après une étude que j'ai lue, la liane Matatabi enivre 80 % des chats et agit plus sur les mâles que sur les femelles.

Pour commencer, Chôjirô mâchouille autant qu'il peut, avec beaucoup d'application...

Ensuite, il joue avec.

Et au final, il est complètement ivre !

Les pattes sur le
comptoir, Non-chan fait
la causette aux clients.

Aa-chan

L'ambiance était très
détendue. On pouvait prendre
les chats dans nos bras,
jouer avec eux, et même
leur donner de petites
choses à manger.

Mû-chan qui s'élance !

Tchi-chan

Tabi-chan se détend
sur les genoux de
Mineko.

44

100

Les bars à chats
sont faits pour
les gens qui
aiment boire et
qui apprécient la
compagnie des
chats !

Les cafés à chats, où l'on peut jouer avec
les chats, sont de plus en plus nombreux.
Les bars à chats, eux, sont plus rares. Comme
j'avais entendu dire qu'il y en avait un dans
le quartier d'Ekota, à Tokyo, j'y suis allée en
compagnie de Mineko Nomachi, une amie
dessinatrice de mangas.
Le bar Aka-nasu se trouve tout près de la
gare d'Ekota. Lorsque nous sommes arrivées,
il venait juste d'ouvrir et les chats se
reposaient encore dans leurs cages.
Il y en avait cinq. Deux d'entre eux étaient
des chatons d'à peine deux mois.

Tabi-chan à la
robe calico

Mû-chan
gris
et Non-chan
brun

Portrait
de Non-chan
par Mineko

UNE SORTIE DANS UN BAR À CHATS AVEC UNE DESSINATRICE DE MANGA

Mineko
Nomachi
est
dessinatrice
de mangas

Partout dans
le bar, les
chats jouent ou
se prélassent.

Peu après notre arrivée, le patron a ouvert les cages pour libérer les chats. Les uns après les autres, ils se sont dispersés dans le bar. Ils n'avaient pas l'air de se soucier de la présence de clients. Ils y semblaient habitués. Selon leur humeur, ils se prélassaient ou jouaient. Ils vivaient leur vie, c'est bien à cela qu'on reconnaît les chats ! Pour commencer, nous avons commandé des bières et de quoi grignoter. Nous avons trinqué, puis goûté aux petits plats de cuisine

familiale qui étaient tous délicieux. Au bout d'un moment, le petit chaton Mû-chan a bondi jusqu'à mes pieds. D'autres chats se sont également approchés doucement de notre table. Non-chan s'est installé sur le siège d'à côté. Tabi-chan est monté sur la table. Les chats circulaient dans l'espace restreint du bar. Il n'a pas fallu longtemps pour que nous soyons accaparées par nos jeux avec eux, au point d'oublier de finir nos verres !

44

100

BALLE JAPONAISE TRESSÉE
EN LIANE MATATABI.

Chapitre 4

PETITES HISTOIRES SUR LES CHATS ET LA NOURRITURE

ILS VÉRIFIENT LA TEMPÉRATURE EN INSPIRANT L'AIR AU-DESSUS DES ALIMENTS !

Au Japon, l'expression « avoir une langue de chat » signifie qu'on est d'une excessive sensibilité à la chaleur des aliments. Mais en fait ce n'est pas grâce à leur langue, mais à leur truffe que les chats évaluent la température.
Leur truffe est comme un thermomètre qui mesure la température de l'air inspiré avec une précision de 0,5 °C. Les humains accordent une grande importance à l'aspect. Les chats, eux, privilégient l'odeur.
Leur perception de celle-ci est dix fois supérieure. Le temps que met une odeur à parvenir à leurs deux narines leur permet même d'apprécier sa distance, jusqu'à sa source. L'odorat des chats est d'une grande finesse ! Aussi faut-il veiller à leur bonne santé pour qu'ils n'aient pas le nez bouché !
Lorsque je fais griller du poisson, l'odeur attire immanquablement Chôjirô. En venant renifler, il s'assure de la température du poisson. Il n'attend qu'une chose : que ce dernier soit à la bonne température pour essayer de le chaparder !

Les chats perçoivent la température

des aliments grâce à leur truffe.

Les chats ne perçoivent

pas le goût sucré.

 MOI, ÇA NE ME TENTE PAS

L'incapacité des chats à percevoir le goût sucré est d'ordre génétique. Pour goûter le sucré, il faut des récepteurs composés de deux protéines. Or les félins n'ont pas la capacité de fabriquer l'une de ces deux protéines. Les chats perçoivent en revanche très bien le goût acide. Cela leur permet de détecter un aliment avarié. C'est essentiel pour éviter les empoisonnements. Je me demande pourquoi Raku aime tant les aliments sucrés. Comme cela lui fait plaisir, je lui en donne toujours un tout petit peu. Je fais une digression pour parler de mon mari. Ce n'est certes pas un félin, mais il est hors pair pour détecter du lait avarié. Un jour, il a pris une petite gorgée de lait qu'il a aussitôt recrachée. J'en ai été transportée d'admiration ! J'insiste, quoique mon mari ne soit pas un félin, son sens du goût n'a rien à envier à celui de mes chats !

Ils perçoivent en revanche très bien l'acidité.

Glace au chocolat

Flan vanille

Gâteau à la crème

C'est un mystère...
Raku adore les aliments sucrés !

C'était en hiver. J'étais attablée au *kotatsu*, ma table basse chauffante, et je mangeais des mandarines. À côté de moi, mon chat dormait. Quel charmant tableau ! Si paisible, si heureux, allez-vous penser. Le *kotatsu* et les mandarines forment en effet une jolie association, mais les mandarines et les chats, pas du tout ! Comme je venais d'en éplucher une, j'ai tendu la main vers mon chat pour la lui faire sentir. Je me suis aussi amusée à lui montrer des pelures. Mon chat a fait une terrible grimace de dégoût et s'est enfui. L'odeur des agrumes donne la nausée aux chats. En Australie, un arbrisseau de la famille des agrumes, appelé Rue officinale *(Ruta graveolens)*, est vendu sous le nom de « répulsif pour chats ». Certains pensent que, l'odeur acide étant pour les chats synonyme d'aliment avarié, ceux-ci s'en détournent instinctivement. Quoi qu'il en soit, la grimace de mon chat lorsqu'il a senti l'odeur de la mandarine était comique ! Il était vraiment mignon quand il a fait « Beurk ! ». Ça m'a même donné envie de recommencer. Je ressens la même excitation que les garçons à l'école primaire qui prennent un malin plaisir à taquiner les petites filles en faisant des choses qui les dégoûtent !

Les chats détestent les agrumes !

Les chats adorent laper

l'eau au robinet.

L'EAU QUI BOUGE, C'EST TELLEMENT MIEUX!

Mes chats – c'est bien embêtant – boudent l'eau servie dans une écuelle. À la maison, ils lapent l'eau au robinet de la cuisine. Lorsqu'ils ont soif, ils grimpent sur l'évier et me fixent avec insistance. Cela signifie qu'ils veulent que je leur donne à boire. Je tourne légèrement le robinet pour que l'eau s'écoule goutte à goutte, puis je le ferme quand ils ont fini de se désaltérer. C'est vraiment très contraignant. Mais, si les chats ne s'hydratent pas suffisamment, ils sont sujets aux calculs urinaires, alors je fais attention à ne pas négliger leur signal lorsqu'ils réclament de l'eau.
J'ai demandé conseil à des amis à ce propos. Il paraît qu'il est très courant que les chats refusent de boire dans un récipient et qu'il existe même des fontaines à eau spécialement conçues pour eux : il s'agit d'appareils qui distribuent un filet d'eau et la recyclent afin de la garder pure et fraîche. L'investissement vaut peut-être la peine...

Les chats n'aiment pas boire l'eau

servie dans une écuelle...

Lorsqu'ils ont
soif, ce qu'ils
préfèrent,
c'est l'eau
qui s'égoutte
du robinet.

Des copeaux de bonite séchée,

ou *katsuobushi,* en guide de friandise.

49
___
100

 LEURS SENS AUDITIF ET OLFACTIF
SONT TOTALEMENT MOBILISÉS !

À la p. 84, j'ai parlé de l'odorat très développé des chats. Leur ouïe, tout aussi performante, perçoit deux octaves de plus que les humains.
Les chats sont sensibles à des sons très faibles. Leurs oreilles sont dotées de muscles leur permettant de s'orienter rapidement
dans la direction du son capté.
Lorsque je parsème des copeaux de bonite séchée pour agrémenter certains plats, où qu'ils se trouvent dans la maison, mes deux chats accourent ! Comme je sais que cela les attire, je veille à effectuer cette opération le plus silencieusement possible. Mais ils ont vite fait de détecter le froissement des copeaux et l'odeur de bonite séchée, et ils se précipitent dans la cuisine. Alors je ne peux m'empêcher de leur en donner une petite bouchée à chacun...

Il se soulage, puis déguerpit

50

100

à toute allure !

UN INSTINCT DE DÉFENSE HÉRITÉ DE L'ÉPOQUE
OÙ LES CHATS VIVAIENT À L'ÉTAT SAUVAGE

Vite, vite ! Chôjirô s'éloigne en toute hâte.
C'est un énorme chat d'un peu plus de 8 kilos.
Ce n'est pas rien lorsqu'il court dans la maison !
Dans sa fuite, il lui arrive même de faire glisser
le tapis qui se trouve sous la table. Et cela, même
si j'y suis moi-même attablée !
Il court parce qu'il vient de faire ses besoins.
Beaucoup de chats se déplacent à toute allure
avant et après s'être soulagés. Ils auraient hérité cet
instinct de l'époque où ils vivaient à l'état sauvage.
Après s'être soulagés, ils s'éloignaient rapidement
afin que les autres animaux ne puissent pas
les localiser. Ils allaient faire leurs besoins aussi
loin que possible de leur lieu de vie, ensevelissaient
soigneusement leurs excréments, puis retournaient
chez eux en toute hâte. C'est cet instinct de défense
qui régit aujourd'hui encore leur comportement.
Mais je suis perplexe concernant Chôjirô : il repart en
brassant tellement d'air... S'il recherche la discrétion,
c'est complètement raté !

NI VU NI CONNU,
OU PRESQUE...!

LES ALIMENTS ET LES PLANTES TOXIQUES POUR LES CHATS

viande crue et jambon

café et chocolat

eaux minérales

poissons séchés

oignons et poireaux

poissons gras

seiche, calmar, poulpe

51

100

Parmi les aliments que nous consommons au quotidien, certains sont nocifs pour les chats.

Tout d'abord, il y a les plantes du genre *Allium*, de la famille de l'oignon. Elles contiennent un composant qui détruit les globules rouges des chats et peut même provoquer leur mort. Même de petites quantités peuvent s'avérer dangereuses.

Les aliments salés peuvent aggraver une maladie rénale, des problèmes cardiaques ou de calculs urinaires, et augmenter la tension artérielle.

La viande crue peut être contaminée par des parasites, le jambon contient des nitrites. La caféine peut provoquer des désordres cardiaques ou nerveux, et le chocolat des vomissements et des ulcères.

Les chats digèrent mal le poulpe et la seiche, qui peuvent également entraîner une carence en vitamine B1. Les poissons, de préférence pas trop gras (lieu, morue, raie…), doivent être cuits. Les eaux minérales trop riches en magnésium peuvent causer des calculs urinaires.

Certaines fleurs et plantes
sont toxiques pour les chats

pavot

prunes

hortensia

campanule
à grandes fleurs

muguet

cyclamen

lis

tulipe

narcisse

52
_____
100

Les hortensias contiennent un poison causant de graves intoxications aussi bien chez les chats que chez les humains. Attention aussi au laurier-rose, à la pivoine, à l'azalée et au rhododendron. Les prunes : avant maturation, elles contiennent un composant qui donne du cyanure sous l'action d'une enzyme sécrétée par une bactérie de la flore intestinale. L'ingestion de campanules à grandes fleurs causerait des symptômes d'hypersalivation et des vertiges.

La morphine des pavots provoque des vomissements et des troubles respiratoires. Une ingestion de cyclamen en quantité excessive peut être mortelle. Un composant de la racine du narcisse entraîne des vomissements et des diarrhées. Dans la famille des liliacées, le muguet contient une cardiotoxine qui peut provoquer des arythmies cardiaques. Les bulbes et, dans une moindre mesure, les feuilles des tulipes et des lis contiennent des toxines entraînant salivation, diarrhées, vomissements…

53

———

100

PAIRE D'ÉCUELLES
INTÉGRÉES À UN SUPPORT :
ELLES SE TROUVENT À LA
HAUTEUR ADÉQUATE ET SE
MAINTIENNENT EN PLACE
LORSQUE LE CHAT SE NOURRIT.
UN ACCESSOIRE TRÈS
PRATIQUE !

Chapitre 5

DIFFÉRENCES ENTRE MÂLES ET
FEMELLES ET ÉTRANGES HISTOIRES
LIÉES AU SEXE DES CHATS

LA PRÉSENCE OU L'ABSENCE DE TESTICULES EST L'INDICE LE PLUS ÉVIDENT

Comme mes chats sont frère et sœur,
je peux à loisir observer les différences entre mâle et
femelle. Distinguer un mâle d'une femelle,
c'est facile. Il suffit de regarder le postérieur de
l'animal. Chez les chats, il est complètement exposé.
Un chat qui a des testicules est un mâle.
La femelle ne possède que deux orifices
correspondant à l'anus et au vagin.
Chez les chatons de moins de vingt jours, il est
toutefois difficile de distinguer un mâle d'une
femelle, car les testicules se trouvent encore dans
la cavité abdominale. Une de mes amies croyait avoir
une chatte, mais il s'agissait en fait d'un chat.
Elle ne s'en est rendu compte que plus tard.
Chaque chat a des traits de caractère qui lui sont
propres. Cela dit, les mâles et les femelles ont
des tempéraments sensiblement différents.
En ce qui concerne mes chats, le grand frère Chôjirô
est enjôleur, plutôt négligé et très maladroit – au
point de manquer une marche et de se cogner
le menton ! La petite sœur Raku est, quant à elle,
méthodique et assez froide. Elle a le sens du détail
et fait très minutieusement sa toilette. Elle est bien
plus propre que Chôjirô !

Pour distinguer un mâle

d'une femelle, observez son postérieur !

Chôjirô est clairement le plus grand.

 RAKU PÈSE MOITIÉ MOINS QUE CHÔJIRÔ

Comme je l'ai écrit précédemment,
Chôjirô et Raku sont très différents.
C'est vrai aussi en ce qui concerne leur taille.
Chôjirô pèse 8,5 kilos ! Quand des amis viennent
à la maison et qu'ils le voient, ils s'écrient tous
en chœur : « Il est énorme ! » La taille de Chôjirô
a aussi beaucoup impressionné une dame qui était
venue pour le recensement. Un de mes amis élève un
teckel et un jack russell terrier. Tous deux sont plus
légers que Chôjirô ! J'ai beau être habituée
à le voir, je n'en reviens pas de son poids !
Chôjirô a un peu de ventre, mais ce sont surtout sa
structure osseuse et sa corpulence qui en imposent.
Par rapport à lui, la taille de Raku est tout à fait
ordinaire. Elle ne pèse que 4 petits kilos.
Il y a quelques années, ils étaient si légers
que je pouvais les transporter tous les deux
ensemble. Maintenant, je n'ai pas assez
de mes deux bras pour soulever Chôjirô !

Les femelles seraient-elles

plus soignées que les mâles ?

RAKU, LA FEMELLE,

EST D'UNE PROPRETÉ MÉTICULEUSE !

Chôjirô et Raku sont nés de la même portée,
l'un est à poils courts, l'autre à poils longs. Je
reviendrai plus loin sur ce détail... Quoi qu'il en soit,
Raku a de longs poils, et sa toilette lui demande
par conséquent beaucoup de travail.
Elle l'accomplit néanmoins avec grand soin
et elle est d'une propreté impeccable. Tous les jours,
sans faute, elle fait méthodiquement sa toilette.
Même à la période de mue, lorsqu'on change
de saison, elle ne perd presque pas de poils.
Elle a toujours une odeur douce et agréable.
À l'inverse, Chôjirô se néglige complètement.
Ses poils sont courts, mais il en perd beaucoup. C'est
Raku et moi qui faisons sa toilette. Comme il n'aime
pas cela, il se met à geindre et s'enfuit. Quand Raku
fait la sienne, elle s'occupe de Chôjirô par la même
occasion, mais cela dégénère toujours en dispute.
Eh oui, le sens de l'hygiène aussi est une grande
différence entre eux !

Ça finit toujours en dispute...

CACHER OU NON LES CROTTES,

TELLE EST LA QUESTION !

Pendant qu'ils font leurs besoins,
les chats sont en situation de vulnérabilité.
À l'époque où ils vivaient à l'état sauvage,
ils devaient se montrer très prudents. Maintenant
qu'ils sont domestiqués, il faut croire qu'ils prennent
leurs aises : la maison étant un lieu sûr,
ils font leurs besoins en toute sérénité...
Cela dit, doit-on accepter qu'ils se sentent rassurés
au point d'en oublier l'instinct propre aux chats
de cacher leurs crottes ? Lorsque Chôjirô le crado
fait ses besoins, il les abandonne en l'état. À l'odeur
qui se diffuse dans toute la maison, on devine tout
de suite ce qu'il a fait ! Raku, elle, est d'une extrême
délicatesse. Elle fait de jolies petites crottes et les
ensevelit soigneusement dans le sable de sa litière.
Je ne saurais dire si cette différence dans leur
manière de traiter leurs excréments est liée à leur
sexe. Peut-être que, parmi les mâles,
Chôjirô est le seul à agir ainsi... Une chose, en
tout cas, est sûre : au moins en ce qui concerne
les crottes, je préférerais qu'il respecte les bonnes
manières de ses ancêtres !

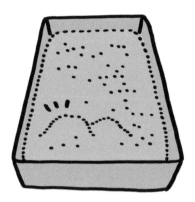

Raku ensevelit soigneusement
ses crottes.

Chôjirô les abandonne
en l'état !

Lorsqu'un mâle renifle une odeur féminine, il ouvre béatement la bouche !

 À L'ODEUR DES PHÉROMONES,
SA MÂCHOIRE SE DÉCROCHE

Il arrive parfois que Chôjirô s'approche de Raku ou de l'un de mes vêtements et se mette à renifler de toutes ses forces. Il entre ensuite comme dans un état de transe, ouvrant béatement la bouche.
Qu'est-ce que cela signifie ?
En fait, il s'agit d'une réaction appelée « flehmen ».
Ce que le chat renifle, ce sont les phéromones femelles. Les chats ne sentent pas seulement par les narines. Ils sont dotés d'un organe olfactif appelé « organe de Jacobson » (ou organe voméro-nasal), qui se présente sous la forme de deux petits conduits situés dans la partie supérieure de la bouche, derrière les incisives. Voilà pourquoi ils entrouvrent la bouche. Cette réaction est caractéristique du comportement des mâles à la période où les femelles sont en chaleur. Je n'en reviens pas qu'un pull que j'ai porté puisse provoquer chez Chôjirô la réaction de flehmen...
Mais j'avoue que cela ne fait qu'accroître mon attachement pour lui !

DANS UNE MÊME PORTÉE, IL PEUT Y
AVOIR DES CHATS À POILS COURTS ET
DES CHATS À POILS LONGS

Bien que nés de la même portée,
mes deux chats ne se ressemblent pas du tout.
Cela s'explique par une particularité biologique
des chats. Chez les humains, une fois l'ovule fécondé,
aucun autre spermatozoïde ne peut y pénétrer.
Mais assez étonnamment, chez les chats, une femelle
peut être fécondée par deux mâles différents, pour
peu qu'il y ait une nouvelle ovulation. Cela signifie
que dans une même portée elle peut avoir des petits
qu'elle a faits avec son « partenaire légitime »
et d'autres qu'elle a faits avec son « amant » :
on appelle ce phénomène la « superfécondation ».
La mère de mes deux chats était issue
d'un croisement avec un american shorthair.
Dans sa portée, elle a eu Chôjirô qui a des poils
courts et Raku qui a des poils longs.
En fait, comme ni l'un ni l'autre ne ressemblent
à leur mère, je suis certaine qu'ils ont des pères
différents... La mère de mes deux chats était
d'une beauté ravageuse !

Une même portée comporte

des enfants légitimes et illégitimes !

Le père
de Chôjirô ?

La mère de
mes deux
chats

Le père
de Raku ?

CHÔJIRÔ

RAKU

L'espérance de vie des chats a considérablement augmenté. Les miens ont maintenant onze ans, ce qui correspond pour eux au début de la vieillesse. Humains, ils seraient papi et mamie.
Les chats sont eux aussi confrontés au problème du vieillissement de la population !
Les principaux facteurs de l'allongement de la durée de leur vie sont la vie en intérieur et l'amélioration de la qualité de l'alimentation.
C'est un grand bonheur que de pouvoir partager de longues années avec nos chats bien-aimés, mais avec l'allongement de la vie, ils sont de plus en plus nombreux à souffrir eux aussi de troubles liés à l'âge. Autrefois, on ne leur connaissait pas ces problèmes. Cela se manifeste de diverses manières. Ils ne contrôlent plus leur appétit et mangent trop, sont victimes de crises d'angoisse, deviennent agressifs. Ils ont également des problèmes d'incontinence. Lorsque ces symptômes apparaissent, il est bon de consulter un vétérinaire.
Certains de ces troubles peuvent devenir un lourd fardeau, mais nous devons continuer à veiller sur nos chats avec tendresse jusque dans leur grand âge. Nous leur devons bien cela.

Le gâtisme atteint aussi les chats.

Souvent, Chôjirô vient réclamer sa pâtée en dehors des horaires prévus. Mais chez lui, c'est synonyme de gourmandise, et non de sénilité !

Le record de longévité

$$\frac{61}{100}$$

chez les chats est de 34 ans !

BIEN QUE SON ÂGE N'AIT PAS ÉTÉ OFFICIELLEMENT CERTIFIÉ, IL Y A MÊME UN CHAT QUI AURAIT ATTEINT 39 ANS !

Beaucoup de chats dans le monde ont vécu très vieux. Le record de longévité de 34 ans et 2 mois est détenu par un chat de race sphynx qui s'appelait Gran'pa et s'est éteint en 1998. Un chat de 34 ans, c'est comme un humain qui aurait 152 ans. Ce record de longévité est attesté par le Guinness book des records. Parmi les records de longévité non officiellement certifiés, on peut mentionner Lucy, une chatte de 39 ans, ou Puff, qui s'est éteint à 38 ans. Je suis sûre qu'il se cache ici ou là beaucoup d'autres chats d'un âge vénérable ! Les miens ont onze ans, ce qui n'est même pas la moitié de l'âge mentionné dans le Guinness. Ils n'ont rien perdu de leur entrain. Aujourd'hui encore, je les ai longuement caressés en leur enjoignant de pulvériser le record du Guinness !

Castré   Stérilisée

CHEZ LE VÉTÉRINAIRE

Lorsque vous remarquez un symptôme bizarre ou un comportement inhabituel, n'hésitez pas à emmener votre chat chez le vétérinaire !

Lorsqu'un chat est trop excité, on peut le mettre dans un filet à linge. La méthode peut paraître bizarre, mais elle est efficace.

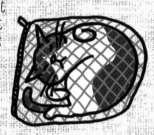

Il n'est pas toujours facile de faire entrer un chat dans son sac de transport...

$$\frac{62}{100}$$

Lorsqu'on adopte un chat, il faut tout d'abord se rendre chez le vétérinaire pour s'assurer qu'il ne souffre d'aucune maladie, qu'il est en bonne santé.
Il est important aussi de le faire vacciner : à 9 semaines (coryza, panleucopénie féline, leucose, chlamydiose) ; à 3 mois (seconde injection, plus vaccin contre la rage) ; et à 4 mois. Les rappels sont annuels. Pensez aussi à la puce électronique (ou au tatouage) pour l'identifier, c'est obligatoire.

Beaucoup de chats ont horreur des sacs de transport, mais si vous laissez le sien dans un endroit de la maison accessible au quotidien, il deviendra un objet familier et votre chat se montrera peut-être moins récalcitrant au moment d'y entrer...

Petit contrôle de la santé de votre chat

Oreilles
- Ne se gratte-t-il pas excessivement les oreilles ?
- Pas de sécrétions liquides ?

Yeux
- Pas de sécrétions dans le coin des yeux ?
- Pas de blessures ?

Organes génitaux
- Pas de saignement ?
- Pas d'inflammation des testicules ?
- Pas d'inflammation de l'anus ?
- N'a-t-il pas tendance à trop lécher cette zone ?

Peau et pelage
- Ne se gratte-t-il pas excessivement ?
- Ne perd-il pas trop de poils ?
- Pas de puces ou de tiques ?

Truffe
- Son nez coule-t-il ? Éternue-t-il ?
- Sa truffe n'est-elle pas trop sèche ?

En cas de besoin, consultez un vétérinaire !

Bouche et crocs
- Ne salive-t-il pas trop ? A-t-il mauvaise haleine ?
- Lui manque-t-il des crocs ?
- Pas d'inflammation de la gencive ?

Urine et excréments
- Urine-t-il sans problème ?
- Notez-vous la présence de vers, de parasites ?
- Souffre-t-il de diarrhée ?

63

100

MON ÉNORME CHÔJIRÔ
PORTE UN PETIT COLLIER
POUR CHIEN, AUQUEL J'AI
FIXÉ UNE PLAQUETTE
D'IDENTIFICATION. AINSI, JE
SUIS SÛRE DE LE RETROUVER
MÊME S'IL S'ÉGARE.
EN FRANCE, LE TATOUAGE
(OBLIGATOIRE) EST DE PLUS EN
PLUS REMPLACÉ PAR LA PUCE
ÉLECTRONIQUE.

Infos
bonus

LE LANGAGE DES CHATS

Quelques leçons pour mieux comprendre ce qu'ils ressentent

Pupilles

$\frac{64}{100}$ Lorsqu'un chat est de mauvaise humeur, ses pupilles se rétractent.

$\frac{65}{100}$ Lorsqu'un chat est surpris ou que quelque chose mobilise son attention, ses pupilles se dilatent.

Oreilles

$\frac{66}{100}$ Lorsqu'un chat est satisfait, ses oreilles sont tournées vers l'avant.

$\frac{67}{100}$ Lorsque quelque chose capte l'attention d'un chat, ses oreilles se redressent et il ouvre grands les yeux.

$\frac{68}{100}$ Lorsqu'un chat a peur, ses oreilles se rabattent vers l'arrière.

Attitude

$\frac{69}{100}$ Lorsqu'un chat se sent en sécurité, la ligne de son dos est plate. Sa queue pend, relâchée.

$\frac{70}{100}$ Lorsqu'un chat s'apprête à attaquer, il relève le bassin et hérisse ses poils pour paraître plus gros. Ses oreilles pointent sur le côté.

$\frac{71}{100}$ Lorsqu'un chat a peur, il se recroqueville pour se faire tout petit.

$\frac{72}{100}$ Lorsqu'un chat s'apprête à attaquer, mais qu'en vérité il a peur, il relève la partie arrière du corps et abaisse la partie avant. Il se présente de côté à son adversaire.

Queue

$\frac{73}{100}$ Lorsqu'un chat a envie de se faire cajoler comme un enfant, sa queue se dresse à la verticale.

$\frac{74}{100}$ Lorsqu'un chat s'intéresse à quelque chose, il remue le bout de la queue.

$\frac{75}{100}$ Lorsqu'un chat s'intéresse à quelque chose de façon modérée, il remue doucement la queue.

$\frac{76}{100}$ Lorsqu'un chat a peur d'un adversaire, il rabat la queue sous son corps, entre ses pattes.

$\frac{77}{100}$ Lorsqu'un chat garde la queue vers le bas, près du corps, il est sur ses gardes.

Miaulements et vocalisations

$\frac{78}{100}$ MIIAA! « Dis, fais ça pour moi... » Le chat se fait enjôleur pour réclamer quelque chose.

$\frac{79}{100}$ MAOU! « Bonjour ! Enchanté ! » Le chat salue une nouvelle connaissance.

$\frac{80}{100}$ KA, KA, KA! « Je veux attraper ça ! »

$\frac{81}{100}$ MIAOUK! « Tu veux te battre ? » Le chat cherche à intimider un adversaire.

$\frac{82}{100}$ SKAK! « Dégage ! » Le chat veut impressionner, mais en fait il n'en mène pas large.

*Pour une plus belle vie
en compagnie des chats*

Inséparables !

$\frac{83}{100}$ Il suffit de payer un supplément bagage pour emmener son chat dans le TGV.

$\frac{84}{100}$ Il est possible de transformer les poils de son chat en diamant en extrayant le carbone de la kératine du poil...

$\frac{85}{100}$ En 2010, un Allemand a épousé sa chatte.

Pour faire revenir un chat perdu

$\frac{86}{100}$ Faites une prière à la puissante Inari-sama, divinité japonaise de la Maison et de la Nature.

$\frac{87}{100}$ Faites poser une puce électronique à votre chat ou faites-le tatouer : c'est obligatoire et c'est le plus sûr moyen de le retrouver.

Les villes aiment les chats

$\frac{88}{100}$ La ville de Konan, située dans la préfecture de Shiga, a créé une « ville des chats » dont le maire est un chat.

$\frac{89}{100}$ La ville de Hikone remet aux chats un certificat de résidence.

$\frac{90}{100}$ En respectant certaines règles, il est possible d'enterrer son chat dans son jardin : adressez-vous aux services techniques de votre mairie.

Sites utiles

91/100 www.gardicanin.fr met en relation des propriétaires de chats (et de chiens) et des familles d'accueil.

92/100 Sur les sites www.truffaut.com, www.zooplus.fr, www.wanimo.com et bien d'autres encore, on trouve une foule de jolis accessoires pour chats.

93/100 La SPA (Société protectrice des animaux ; www.spa.asso.fr) vous accueille partout en France au sein de ses refuges pour vous permettre d'adopter chats et chiens dans les meilleures conditions.

Les îles à chats et autres sites prisés par les chats au Japon

94/100 Le quartier de Yanaka à Tokyo est le royaume des chats. C'est là que l'écrivain japonais Natsume Sôseki a rédigé son célèbre roman *Je suis un chat*.

95/100 Dans le sanctuaire Kotohira à Kyoto, on peut voir deux statues de pierre représentant des « chats gardiens ».

96/100 Sur l'île de Sanagi, dans le département de Kagawa, se trouve le paradis des chats de la Mer intérieure.

97/100 Les chats aiment se rassembler sur le port de pêche de l'île de Muzugi, qui fait partie des îles Tsukuna, dans le département d'Ehime.

98/100 Sur l'île de Kakara, dans le département de Saga, on ne trouve pas un seul chien, mais un grand nombre de chats.

99/100 Dans le département de Kagoshima, dans le parc Sengan'en, se trouve un sanctuaire dédié à deux chats.

100/100 Sur l'île de Taketomi dans le département d'Okinawa, les chats se prélassent sur les plages et les toits des maisons. Des chats aux mœurs méridionales...

QUESTIONNAIRE

Parmi tous les secrets sur les chats que je
vous ai confiés dans cet ouvrage,
j'ai rassemblé ci-dessous ceux que je préfère.

Bien connaître les chats,
c'est être en mesure d'entretenir une relation
harmonieuse avec eux !

☐ Les chats dorment quatorze à vingt heures
par jour.

☐ Les mâles calico sont extrêmement rares !

☐ Les coussinets des pattes de chat,
c'est adorable !

☐ Les chats viennent renifler le bout de vos
doigts pour dire bonjour.

☐ Leur menton évoque un *onigiri*
(boulette de riz de forme triangulaire).

☐ Le record de longévité du chat
est de 34 ans d'après le Guinness.

EN GUISE DE CONCLUSION

Tandis que j'écris ces lignes, mes deux chats sont
assoupis tout près de moi. J'entends leur paisible
respiration. La présence des chats transforme
les instants les plus anodins en instants précieux
et irremplaçables. La passion que je nourris pour
les chats en général et les miens en particulier ne
s'éteindra jamais. Longue vie à mes chats !
Me documenter et rédiger cet ouvrage m'a apporté
de purs moments de bonheur.
Je voudrais ici exprimer toute ma gratitude à Kaori
Inoue, ma responsable éditoriale, à Yukiko Nishimura
et à Mutsuko Kusakari, qui ont mis en forme cet
ouvrage. Je remercie l'illustratrice Keiko Aoyama
et la photographe Sakura Ishihara pour l'interview
qu'elles m'ont accordée. Je remercie également
la dessinatrice de mangas Mineko Nomachi, qui
m'a accompagnée dans un bar à chats, ainsi que
Yuka Seki, et tous les chats que j'ai croisés jusqu'à
aujourd'hui.

Septembre 2012
Sayo Koizumi

Carnet d'adresses

ADOPTION ET INFORMATIONS GÉNÉRALES

Société Protectrice des Animaux
39, boulevard Berthier
75847 Paris Cedex 17
Tél. : 01 43 80 40 66
Fax : 01 43 80 84 80
e-mail : info@spa.asso.fr
www.spa.asso.fr

Wamiz
Ce site est le premier site français consacré aux animaux de compagnie. Il relaie aussi les profils des animaux à l'adoption dans les refuges de la SPA.
http://www.wamiz.com

RACES, IDENTIFICATION

LOOF
1, rue du Pré Saint Gervais
93697 Pantin Cedex
Tél. : 01 41 71 03 35
Fax : 01 57 42 98 17
E-mail : contact@loof.asso.fr
http://www.loof.asso.fr

Fichier national d'identification des carnivores domestiques (I-CAD)
112, avenue Gabriel Péri
94240 L'Haÿ-les-Roses
Tél. : 01 55 01 08 08
Fax : 01 55 01 08 04

SANTÉ

Centre antipoison vétérinaire de Maisons-Alfort (24 h/24)
Tél.: 01 48 93 13 00

Centre antipoison vétérinaire de Nantes (24 h/24)
Tél.: 02 40 68 77 40

Centre antipoison vétérinaire de Lyon (24 h/24)
Tél.: 04 78 87 10 40

Centre antipoison vétérinaire de Toulouse (24 h/24)
Tél.: 05 61 19 39 00

Urgences vétérinaires École Nationale Vétérinaire d'Alfort
7, avenue du Général de Gaulle
94700 Maisons-Alfort
Tél.: 01 43 96 72 72 (24 h/24)

Urgences vétérinaires École Nationale Vétérinaire de Lyon
Vetagro Sup
1, avenue Claude Bourgelat
69280 Marcy l'Etoile
Tél.: 04 78 87 07 07 (24 h/24)

Urgences vétérinaires École Nationale Vétérinaire de Nantes
La Chanterie
Route de Gachet
44307 Nantes
Tél.: 02 40 68 78 98 (24 h/24)

Urgences vétérinaires École Nationale Vétérinaire de Toulouse
23, chemin des Capelles
31076 Toulouse
Tél.: 05 61 19 38 62 (24 h/24)

Direction départementale des services vétérinaires
(DDSV) – Préfecture de police
20-32, rue de Bellevue
75019 Paris
www.prefecture-police-paris.interieur.

Imprimè en Espagne par Gráficas Estella (Estella)
Dèpôt légal : février 2015
315899/10 - 11038113 - Février 2018

LAROUSSE s'engage pour
l'environnement en réduisant
l'empreinte carbone de ses livres.
Celle de cet exemplaire est de :
850 g éq. CO$_2$
PAPIER À BASE DE   Rendez-vous sur
FIBRES CERTIFIÉES   www.larousse-durable.fr